Chansons

françaises

IL ÉTAIT UNE BERGÈRE

Il était une bergère,
Et ron et ron, petit patapon,
Il était une bergère
Qui gardait ses moutons,
Ron, ron, qui gardait ses moutons.

Elle fit un fromage,
Et ron et ron, petit patapon,
Elle fit un fromage
Du lait de ses moutons,
Ron ron, du lait de ses moutons.

Le chat qui la regarde,
Et ron et ron, petit patapon,
Le chat qui la regarde
D'un petit air fripon,
Ron ron, d'un petit air fripon.

Si tu y mets la patte,
Et ron et ron, petit patapon,
Si tu y mets la patte
Tu auras du bâton,
Ron ron, tu auras du bâton.

Il n'y mit pas la patte,
Et ron et ron, petit patapon,

Il n'y mit pas la patte
Il y mit le menton,
Ron ron, il y mit le menton.

La bergère en colère,
Et ron et ron, petit patapon,
La bergère en colère
Battit le p'tit chaton,
Ron ron, battit le p'tit chaton.

Fais do - do, Co - las mon p'tit frè - re : Fais do - do, t'au-ras du lo -

lo. Ma-man est en haut, qui fait du gâ - teau. Pa-pa est en bas, qui fait du cho-co

lat. Fais do - do, Co-las mon p'tit frè - re : Fais do - do, t'au-ras du lo - lo.

FAIS DODO COLAS

Fais dodo, Colas mon p'tit frère ;
Fais dodo, t'auras du lolo.
Maman est en haut, qui fait du gâteau.
Papa est en bas, qui fait du chocolat.
Fais dodo, Colas mon p'tit frère ;
Fais dodo, t'auras du lolo.

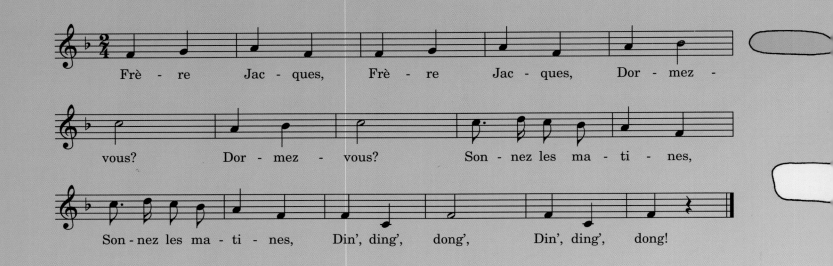

FRÈRE JACQUES

Frère Jacques, (bis)
Dormez-vous ? (bis)
Sonnez les matines, (bis)
Din', ding', dong' ! (bis)

MAMAN, LES P'TITS BATEAUX

Maman, les p'tits bateaux
Qui vont sur l'eau
Ont-ils des jambes ?
Mais oui mon gros bêta,
S'ils n'en avaient pas,
Ils ne march'raient pas.

Allant droit devant eux,
Ils font le tour du monde,
Et comme la terre est ronde,
Ils reviennent chez eux.

LE BON ROI DAGOBERT

Le bon roi Dagobert
Avait sa culotte à l'envers.
Le grand saint Eloi lui dit :
« Ô mon Roi, Votre Majesté
Est mal culottée. »
« C'est vrai, lui dit le roi,
Je vais la remettre à l'endroit. »

Le bon roi Dagobert
Chassait dans la plaine d'Anvers.
Le grand saint Eloi lui dit :
« Ô mon Roi, Votre Majesté
Est bien essouflée. »
« C'est vrai, lui dit le roi,
Un lapin courait après moi. »

Le bon roi Dagobert
Voulait s'embarquer sur la mer.
Le grand saint Eloi lui dit :
« Ô mon Roi, Votre Majesté
Se fera noyer. »
« C'est vrai, lui dit le roi,
On pourra crier : le roi boit. »

Le bon roi Dagobert
Mangeait en glouton du dessert.
Le grand saint Eloi lui dit :
« Ô mon Roi, vous êtes gourmand,
Ne mangez
pas tant. »
« C'est vrai,
lui dit le roi,
Je ne le suis pas tant que toi. »

Le bon roi Dagobert
Avait un grand sabre de fer.
Le grand saint Eloi lui dit :
« Ô mon Roi, Votre Majesté
Pourrait se blesser. »
« C'est vrai, lui dit le roi,
Qu'on me donne un sabre de bois. »

Le bon roi Dagobert
Faisait des vers tout de travers.
Le grand saint Eloi lui dit :
« Ô mon Roi, laissez aux oisons
Faire des chansons. »
« C'est vrai, lui dit le roi,
C'est toi qui les feras pour moi. »

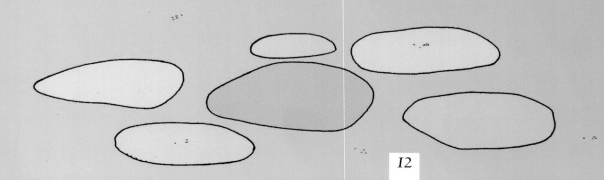

Le bon roi Dagobert
Craignait fort d'aller en enfer.
Le grand saint Eloi lui dit :
« Ô mon Roi, je crois bien, ma foi
Que vous irez tout droit. »
« C'est vrai, lui dit le roi,
Ne peux-tu pas prier pour moi ? »

Quand Dagobert mourut
Le diable aussitôt accourut.
Le grand saint Eloi lui dit :
« Ô mon Roi, Satan va passer
Faut vous confesser. »
« Hélas, lui dit le roi,
Ne pourrais-tu pas mourir
pour moi ? »

NOUS N'IRONS PLUS AU BOIS

Refrain
Entrez dans la danse.
Voyez comme on danse.
Sautez, dansez, embrassez
    qui vous voudrez.

La belle que voilà
    la laisserons-nous danser ?
Mais les lauriers du bois
    les laisserons-nous faner ?

Si la cigale y dort, ne faut pas
    la blesser.
Le chant du rossignol
    viendra la réveiller.

Le chant du rossignol
    viendra la réveiller.
Et aussi la fauvette
    avec son doux gosier.

Mais les lauriers du bois
    les laisserons-nous faner ?
Non, chacune à son tour
    ira les ramasser.

Non, chacune à son tour
    ira les ramasser.
Si la cigale y dort, ne faut pas
    la blesser.

Et aussi la fauvette
    avec son doux gosier.
Et Jeanne, la bergère,
    avec son blanc panier.

Et Jeanne, la bergère,
    avec son blanc panier.
Allant cueillir la fraise
    et la fleur d'églantier.

Allant cueillir la fraise
    et la fleur d'églantier.
Cigale, ma cigale, allons,
    il faut chanter.

Cigale, ma cigale, allons,
    il faut chanter.
Car les lauriers du bois
    sont déjà repoussés.

Nous n'irons plus au bois,
    Les lauriers sont coupés.
La belle que voilà,
    La laisserons-nous danser ?

15

MON BEAU SAPIN

Mon beau sapin,
Roi des forêts,
Que j'aime ta verdure !
Quand par l'hiver,
Bois et guérets
Sont dépouillés
De leurs attraits,
Mon beau sapin,
Roi des forêts,
Tu gardes ta parure.

Toi que Noël
Planta chez nous
Au saint anniversaire !
Joli sapin,
Comme ils sont doux
Et tes bonbons
Et tes joujoux !
Toi que Noël
Planta chez nous
Tout brillant de lumière.

Mon beau sapin,
Tes verts sommets
Et leur fidèle ombrage,
De la foi qui
Ne ment jamais
De la constance
Et de la paix,
Mon beau sapin,
Tes verts sommets
M'offrent la douce image.

À LA CLAIRE FONTAINE

À la claire fontaine
M'en allant promener,
J'ai trouvé l'eau si belle
Que je m'y suis baignée.

A la claire fontaine M'en allant promener
J'ai trouvé l'eau si belle Que je m'y suis baignée.

Refrain
Il y a longtemps que je t'aime Jamais, je ne t'oublierai !

Refrain
Il y a longtemps que je t'aime,
Jamais, je ne t'oublierai !

Sous les feuilles d'un chêne
Je me suis fait sécher ;
Sur la plus haute branche
Le rossignol chantait.

Chante, rossignol, chante,
Toi qui as le cœur gai,
Tu as le cœur à rire...
Moi je l'ai à pleurer !

J'ai perdu mon ami,
Sans l'avoir mérité,
Pour un bouquet de roses
Que je lui refusai.

Je voudrais que la rose
Fût encore au rosier,
Et que mon doux ami
Fût encore à m'aimer.

TROIS JEUNES TAMBOURS

Trois jeunes tambours s'en revenant
de guerre, (bis)
Et ri, et ran, ran pa ta plan,
S'en revenant de guerre.

Le plus jeune a dans sa bouche une rose, (bis)
Et ri, et ran, ran pa ta plan,
Dans sa bouche une rose.

Fille du Roi était à sa fenêtre, (bis)
Et ri, et ran, ran pa ta plan,
Était à sa fenêtre.

« Joli tambour, donne-moi donc ta rose! (bis)
Et ri, et ran, ran pa ta plan,
Donne-moi donc ta rose!

– Fille du Roi, donne-moi donc ton cœur, (bis)
Et ri, et ran, ran pa ta plan,
Donne-moi donc ton cœur.

– Joli tambour, demande-le à mon père, (bis)
Et ri, et ran, ran pa ta plan,
Demande-le à mon père.

– Sire le Roi, donnez-moi votre fille, (bis)
Et ri, et ran, ran pa ta plan,
Donnez-moi votre fille.

– Joli tambour, tu n'es pas assez riche, (bis)
Et ri, et ran, ran pa ta plan,
Tu n'es pas assez riche.

– J'ai trois vaisseaux dessus la mer jolie, (bis)
Et ri, et ran, ran pa ta plan,
Dessus la mer jolie.

L'un chargé d'or, l'autre de pierreries, (bis)
Et ri, et ran, ran pa ta plan,
L'autre de pierreries.

Et le troisième, pour promener ma mie, (bis)
Et ri, et ran, ran pa ta plan,
Pour promener ma mie.

Joli tambour, dis-moi quel est ton père (bis)
Et ri, et ran, ran pa ta plan,
Dis-moi quel est ton père.

Sire le roi, c'est le roi d'Angleterre, (bis)
Et ri, et ran, ran pa ta plan,
C'est le roi d'Angleterre.

– Joli tambour, tu auras donc ma fille, (bis)
Et ri, et ran, ran pa ta plan,
Tu auras donc ma fille.

– Sire le Roi, je vous en remercie, (bis)
Et ri, et ran, ran pa ta plan,
Je vous en remercie.

Dans mon pays y en a de plus jolies, (bis)
Et ri, et ran, ran pa ta plan,
Y'en a de plus jolies. »

AUPRÈS DE MA BLONDE

Dans les jardins d'mon père
Les lilas sont fleuris,
Tous les oiseaux du monde
Vienn't y faire leurs nids.

Refrain :
Auprès de ma blonde
Qu'il fait bon, fait bon, fait bon,
Auprès de ma blonde
Qu'il fait bon dormir.

Tous les oiseaux du monde
Vienn't y faire leurs nids.
La caill', la tourterelle
Et la joli' perdrix.

La caill', la tourterelle
Et la joli' perdrix.
Et ma joli' colombe
Qui chante jour et nuit.

Et ma joli' colombe
Qui chante jour et nuit.
Ell' chante pour les filles
Qui n'ont pas de mari.

Ell' chante pour les filles
Qui n'ont pas de mari.
Pour moi ne chante guère
Car j'en ai un joli.

Pour moi ne chante guère
Car j'en ai un joli.
– Mais dites-moi donc belle
Où est votre mari ?

– Mais dites-moi donc belle
Où est votre mari ?
– Il est dans la Hollande,
– Les Hollandais l'ont pris !

– Il est dans la Hollande,
– Les Hollandais l'ont pris !
– Que donneriez-vous, belle
À qui l'ira quérir ?

– Que donneriez-vous, belle
À qui l'ira quérir ?
– Je donnerais Touraine,
Paris et Saint-Denis.

– Je donnerais Touraine,
Paris et Saint-Denis.
Les Tours de Notre-Dame,
Le clocher d'mon pays.

Les Tours de Notre-Dame,
Le clocher d' mon pays.
Et ma joli' colombe
Qui chante jour et nuit.

23

COLCHIQUES

Colchiques dans les prés fleurissent, fleurissent,
Colchiques dans les prés : c'est la fin de l'été.

Refrain
La feuille d'automne emportée par le vent
En ronde monotone tombe en tourbillonnant.

Châtaignes dans les bois se fendent, se fendent
Châtaignes dans les bois se fendent sous les pas.

Nuages dans le ciel s'étirent, s'étirent
Nuages dans le ciel s'étirent comme une aile.

Et ce chant dans mon cœur murmure, murmure
Et ce chant dans mon cœur appelle le bonheur.

Il pleut, il pleut ber-gè-re, Ren-tre tes blancs mou-

tons ; Al-lons à ma chau-miè-re, Ber-gè-re, vite al-

lons—— J'en-tends sur le feuil-la-ge, L'eau qui coule à grand

bruit ;—— Voi-ci ve-nir l'o-ra-ge, Voi-ci l'é-clair qui luit.

IL PLEUT, IL PLEUT BERGÈRE

Il pleut, il pleut, bergère,
Rentre tes blancs moutons ;
Allons à ma chaumière,
Bergère, vite allons.
J'entends sur le feuillage,
L'eau qui coule à grand bruit ;
Voici venir l'orage,
Voilà l'éclair qui luit.

Entends-tu le tonnerre ?
Il gronde en approchant ;
Prends un abri, bergère,
À ma droite, en marchant.
Je vois notre cabane,
Et, tiens, voici venir
Ma mère et ma sœur Anne
Qui vont l'étable ouvrir.

Bonsoir, bonsoir, ma mère,
Ma sœur Anne, bonsoir ;
J'amène ma bergère,
Près de vous pour ce soir.
Va te sécher, ma mie,
Auprès de nos tisons ;
Sœur, fais-lui compagnie,
Entrez, petits moutons !
Soupons, prends cette chaise,
Tu seras près de moi ;
Ce flambeau de mélèze
Brûlera devant toi ;
Goûte de ce laitage !
Mais tu ne manges pas ?
Tu te sens de l'orage,
Il a lassé tes pas.

Eh bien! voilà ta couche,
Dors-y jusqu'au jour ;
Laisse-moi de ta bouche
Entendre un mot d'amour.
Ne rougis pas, bergère,
Ma mère et moi, demain,
Nous irons chez ton père
Lui demander ta main

SUR LE PONT D'AVIGNON

Refrain :
Sur le pont d'Avignon,
On y danse, on y danse,
Sur le pont d'Avignon,
On y danse, tout en rond.

Les beaux messieurs font comm' ça,
Et puis encor' comm'ça.

Les bell's dam's font comm'ça,
Et puis encor' comm'ça.

Les cordonniers font comm'ça,
Et puis encor' comm'ça.

Les blanchisseuses font comm'ça,
Et puis encor' comm'ça.

Les menuisiers font comm'ça,
Et puis encor' comm'ça.

Les musiciens font comm'ça,
Et puis encor' comm'ça.

COMPÈRE GUILLERI

Il était un p'tit homme,
Appelé Guilleri,
Carabi.
Il s'en fut à la chasse,
À la chasse aux perdrix,
Carabi.

Refrain :
Toto carabo, titi carabi,
Compère Guilleri.
Te laiss'ras-tu, te laiss'ras-tu,
Te laiss'ras-tu mourir ?

Il s'en fut à la chasse,
À la chasse aux perdrix,
Carabi.
Il monta sur un arbre,
Pour voir ses chiens courir,
Carabi.

La branche vint à rompre
Et Guilleri tombit,
Carabi.
Il se cassa la jambe,
Et le bras se démit,
Carabi.

Les dames de l'hôpital
Sont arrivées au bruit,
Carabi.
L'une apporte un emplâtre,
L'autre de la charpie,
Carabi.

On lui banda la jambe
Et le bras lui remit,
Carabi.
Pour remercier ces dames,
Guilleri les embrassit,
Carabi.

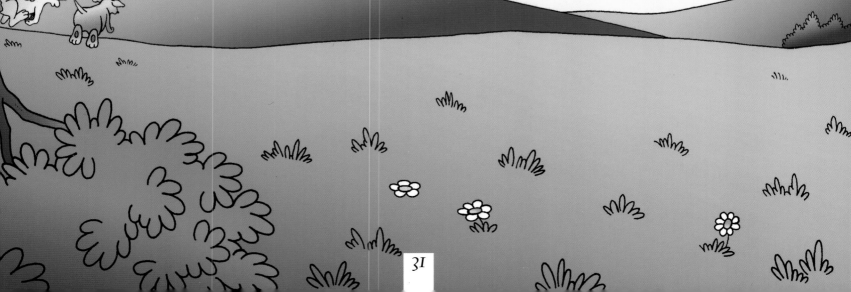

ALOUETTE

Refrain :
Alouette, gentille alouette,
Alouette, je te plumerai.

Je te plumerai la tête (bis)
Et la tête (bis)
Alouette (bis)
Ah!

Je te plumerai le bec (bis)
Et le bec (bis)
Et la tête (bis)
Alouette (bis)
Ah!
Je te plumerai les yeux.

Je te plumerai le cou.

Je te plumerai les ailes.

Je te plumerai les pattes.

Je te plumerai la queue.

Je te plumerai le dos.

PROM'NONS-NOUS DANS LES BOIS

Tous
Prom'nons-nous dans les bois
Pendant que le loup n'y est pas
Si le loup y était
Il nous mangerait,

Mais comm' il n'y est pas
Il n'nous mang'ra pas.
Loup y es-tu?
Que fais-tu?
Entends-tu?

Le loup
- Je mets ma chemise.

Tous
- Prom'nons-nous
dans les bois
Pendant que le loup
n'y est pas
Si le loup y était
Il nous mangerait...

Le loup
- Je mets ma culotte !
- Je mets ma veste !
- Je mets mes chaussettes !
- Je mets mes bottes !
- Je mets mon chapeau !
- Je mets mes lunettes !
- Je prends mon fusil !
- J'arrive !

Tous
- Sauvons-nous!

AH ! VOUS DIRAIS-JE MAMAN ?

Ah ! vous dirais-je, maman
Ce qui cause mon tourment ?
Papa veut que je raisonne
Comme une grande personne
Moi je dis que les bonbons
Valent mieux que la raison.

EN PASSANT PAR LA LORRAINE

En passant par la Lorraine,
Avec mes sabots,
Rencontré trois capitaines,
Avec mes sabots, dondaine,
Oh ! Oh ! Oh ! avec mes sabots !

Rencontré trois capitaines,
Avec mes sabots,
Ils m'ont appelée vilaine,
Avec mes sabots, dondaine,
Oh ! Oh ! Oh ! avec mes sabots !

Ils m'ont appelée vilaine,
Avec mes sabots,
Je ne suis pas si vilaine,
Avec mes sabots, dondaine,
Oh ! Oh ! Oh ! avec mes sabots !

Je ne suis pas si vilaine,
Avec mes sabots,
Puisque le fils du roi m'aime,
Avec mes sabots, dondaine,
Oh ! Oh ! Oh ! avec mes sabots !

Il m'a donné pour étrennes,
Avec mes sabots,
Un bouquet de marjolaine,
Avec mes sabots, dondaine,
Oh ! Oh ! Oh ! avec mes sabots !

Un bouquet de marjolaine,
Avec mes sabots,
S'il fleurit, je serai reine,
Avec mes sabots, dondaine,
Oh ! Oh ! Oh ! avec mes sabots !

S'il fleurit, je serai reine,
Avec mes sabots,
Mais s'il meurt je perds ma peine.
Avec mes sabots, dondaine,
Oh ! Oh ! Oh ! avec mes sabots !

SAVEZ-VOUS PLANTER LES CHOUX ?

Savez-vous planter les choux,
À la mode, à la mode ?
Savez-vous planter les choux,
À la mode de chez nous ?

On les plante avec les pieds,
À la mode, à la mode,
On les plante avec les pieds,
À la mode de chez nous.

On les plante avec le genou.

On les plante avec le coude.

On les plante avec le nez.

On les plante avec la tête.

LE FURET DU BOIS JOLI

Il court, il court, le furet,
Le furet du bois mesdames.
Il court, il court, le furet,
Le furet du bois joli.

Il a passé par ici,
Il repassera par là.
Qui est-ce qui l'a ?

DANSONS LA CAPUCINE

Dansons la capucine,
Y'a plus de pain chez nous !
Y'en a chez la voisine,
Mais ce n'est pas pour nous,
You !

Dansons la capucine,
Y'a plus de vin chez nous !
Y'en a chez la voisine,
Mais ce n'est pas pour nous,
You !

Dansons la capucine,
Y'a du plaisir chez nous !
On pleure chez la voisine,
On rit toujours chez nous,
You !

GENTIL COQ'LICOT

J'ai des-cen-du dans mon jar-din, J'ai des-cen-du dans mon jar-din,——— Pour y cueil-lir du ro-ma-rin. Gen-til coqu'-li-cot, Mes-da-mes, Gen-til coqu'-li-cot nou-veau.

J'ai descendu dans mon jardin, (bis)
Pour y cueillir du romarin,

Refrain
Gentil coqu'licot, mesdames,
Gentil coqu'licot nouveau!

Pour y cueillir du romarin, (bis)
J'n'en avais pas cueilli trois brins.

J'n'en avais pas cueilli trois brins, (bis)
Qu'un rossignol vint sur ma main.

Qu'un rossignol vint sur ma main, (bis)
Il me dit trois mots en latin.

Il me dit trois mots en latin, (bis)
Que les hommes ne valent rien.

Que les hommes ne valent rien, (bis)
Et les garçons encor bien moins.

Et les garçons encor bien moins, (bis)
Des dames, il ne me dit rien.

Des dames, il ne me dit rien, (bis)
Mais des d'moiselles beaucoup de bien.

AU CLAIR
DE LA LUNE

Au clair de la lune,
Mon ami Pierrot,
Prête-moi ta plume,
Pour écrire un mot.
Ma chandelle est morte,
Je n'ai plus de feu,
Ouvre-moi ta porte,
Pour l'amour de Dieu.

Au clair de la lune,
Pierrot répondit :
Je n'ai pas de plume,
Je suis dans mon lit.
Va chez la voisine,
Je crois qu'elle y est,
Car dans sa cuisine,
On bat le briquet.

Au clair de la lune,
On n'y voit qu'un peu :
On chercha la plume,
On chercha le feu.
En cherchant d'la sorte
Je n'sais c'qu'on trouva,
Mais j'sais que la porte
Sur eux se ferma.

UNE SOURIS VERTE

Une souris verte
Qui courait dans l'herbe,
Je l'attrape par la queue,
Je la montre à ces messieurs,
Ces messieurs me disent :
Trempez-la dans l'huile,
Trempez-la dans l'eau,
Ça fera un escargot
Tout chaud.
Je la mets dans un tiroir,
Ell' me dit : Il fait trop noir.
Je la mets dans mon chapeau,
Ell' me dit : Il fait trop chaud.

LA MÈRE MICHEL

C'est la mè-re Mi - chel qui a per-du son chat,—— Qui cri' par la fe-

nê-tre qui le lui ren-dra.—— C'est le pèr' Lus-tu-cru qui lui a ré-pon-du : Al-

Refrain

lez, la mèr' Mi-chel, vot' chat n'est pas per - du.—— Sur l'air du tra la la

la, Sur l'air du tra la la la, Sur l'air du tra dé-ri-dé - ra, tra la la.——

C'est la mèr' Michel qui a perdu son chat,
Qui crie par la fenêtre qui le lui rendra.
C'est le pèr' Lustucru qui lui a répondu :
« Allez, la mèr' Michel, vot' chat n'est pas perdu ! »

Refrain :
Sur l'air du tralala, (bis)
Sur l'air du tradéridéra,
Tralala.

C'est la mère Michel qui lui a demandé :
« Mon chat n'est pas perdu !
Vous l'avez donc trouvé ? »
Et l'compèr' Lustucru qui lui a répondu :
« Donnez un' récompense, il vous sera rendu ».

Et la mère Michel lui dit : « C'est décidé,
Si vous rendez mon chat, vous aurez un baiser ».
Le compèr' Lustucru, qui n'en a pas voulu,
Lui dit : « Pour un lapin votre chat est vendu ! »

J'AI DU BON TABAC

J'ai du bon tabac dans ma tabatière,
J'ai du bon tabac, tu n'en auras pas.
J'en ai du fin et du bien râpé,
Mais ce n'est pas pour ton vilain nez.
J'ai du bon tabac dans ma tabatière,
J'ai du bon tabac, tu n'en auras pas.

LES PETITES MARIONNETTES

Ainsi font, font, font
Les petites marionnettes,
Ainsi font, font, font
Trois p'tits tours et puis s'en vont.

Les mains aux côtés,
Sautez, sautez marionnettes,
Les mains aux côtés,
Marionnettes recommencez.

Ainsi font, font, font
Les petites marionnettes,
Ainsi font, font, font
Trois p'tits tours et puis s'en vont.

LA BONNE AVENTURE

Je suis un petit poupon
De belle figure,
Qui aime bien les bonbons
Et les confitures.
Si vous voulez m'en donner,
Je saurai bien les manger.
La bonne aventure,
Oh ! gai !
La bonne aventure !

Lorsque les jeunes enfants
Ont été bien sages,
Les parents leur font présent
De livres d'images.
Mais lorsqu'ils se font gronder,
C'est le fouet qu'il faut donner.
La triste aventure,
Oh ! gai !
La triste aventure !

Je serai sage et bien bon,
Pour plaire à ma mère ;
Je saurai bien ma leçon,
Pour plaire à mon père.
Je veux bien les contenter,
Et s'ils veulent m'embrasser,
La bonne aventure,
Oh ! gai !
La bonne aventure !

Minet qui voit des pigeons,
Ardent les convoite.
Il croit les saisir d'un bond
De façon adroite.
Quand il croit être sur eux,
Ils s'envolent tous les deux.
La bonne aventure,
Oh ! gai !
La bonne aventure !

Je suis un pe - tit pou - pon De bel - le fi - gu - re, Qui ai - me bien les bon -
bons Et les con - fi - tu - res. Si vous vou - lez m'en don - ner, Je sau -
rai bien les man - ger. La bon - n'a - ven ture. Oh! gai! La bon - n'a - ven - tu - re!

NE PLEURE PAS, JEANNETTE

Ne pleure pas, Jeannette,
tra la la la la la la la la la la la la,
Ne pleure pas, Jeannette,
Nous te marierons. (bis)

Avec le fils d'un prince, Tra la la...
Avec le fils d'un prince,
Ou celui d'un baron. (bis)

Je ne veux pas d'un prince
Encor' moins d'un baron.

Je veux mon ami Pierre
Celui qu'est en prison.

Tu n'auras pas ton Pierre
Nous le pendouillerons.

Si vous pendouillez Pierre
Pendouillez-moi avec.

Et l'on pendouilla Pierre
Et la Jeannette avec.

CADET ROUSSELLE

Cadet Rousselle a trois maisons (bis)
Qui n'ont ni poutres, ni chevrons (bis)
C'est pour loger les hirondelles,
Que direz-vous d'Cadet Rousselle ?
Ah ! Ah ! Ah ! oui vraiment,
Cadet Rousselle est bon enfant.

Cadet Rousselle a trois habits (bis)
Deux jaunes, l'autre en papier gris (bis)
Il met celui-là quand il gèle,
Ou quand il pleut, ou quand il grêle
Ah ! Ah ! Ah ! oui vraiment,
Cadet Rousselle est bon enfant.

Cadet Rousselle a trois beaux yeux,
L'un r'garde à Caen, l'autre à Bayeux,
Comme il n'a pas la vu' bien nette,
Le troisième, c'est sa lorgnette.
Ah ! Ah ! Ah ! oui vraiment,
Cadet Rousselle est bon enfant.

Cadet Rousselle a une épée,
Très longue, mais toute rouillée.
On dit qu'ell' ne cherche querelle
Qu'aux moineaux et qu'aux hirondelles.
Ah ! Ah ! Ah ! oui vraiment,
Cadet Rousselle est bon enfant.

Cadet Rousselle a trois garçons,
L'un est voleur, l'autre est fripon,
Le troisième est un peu ficelle,
Il ressemble à Cadet Rousselle.
Ah ! Ah ! Ah ! oui vraiment,
Cadet Rousselle est bon enfant.

Cadet Rousselle a trois gros chiens,
L'un court au lièvr', l'autre au lapin.
L'troisièm' s'enfuit quand on l'appelle,
Comm' le chien de Jean d'Nivelles.
Ah ! Ah ! Ah ! oui vraiment,
Cadet Rousselle est bon enfant.

Cadet Rousselle a trois beaux chats,
Qui n'attrappent jamais les rats.
Le troisièm' n'a pas de prunelles,
Il monte au grenier sans chandelle.
Ah ! Ah ! Ah ! oui vraiment,
Cadet Rousselle est bon enfant.

Cadet Rousselle a marié,
Ses trois filles dans trois quartiers.
Les deux premier's ne sont pas belles,
La troisièm' n'a pas de cervelle.
Ah ! Ah ! Ah ! oui vraiment,
Cadet Rousselle est bon enfant.

Cadet Rousselle a trois deniers,
C'est pour payer ses créanciers.
Quand il a montré ses ressources,
Il les resserre dans sa bourse.
Ah ! Ah ! Ah ! oui vraiment,
Cadet Rousselle est bon enfant.

Cadet Rousselle ne mourra pas,
Car avant de sauter le pas,
On dit qu'il apprend l'orthographe,
Pour fair' lui-mêm' son épitaphe.
Ah ! Ah ! Ah ! oui vraiment,
Cadet Rousselle est bon enfant.

DANS LA FORÊT LOINTAINE

Dans la forêt lointaine,
On entend le coucou.
Du haut de son grand chêne
Il répond au hibou :
Coucou, coucou,
On entend le coucou.

64

Meu - nier tu dors, ton mou - lin, ton moulin va trop vi - te, Meu -

nier tu dors, ton mou - lin, ton mou-lin va trop fort.

Prestissimo

Ton mou-lin, ton mou-lin va trop vit', Ton mou-lin, ton mou - lin ton mou-lin va trop fort, va trop fort,

Ton mou - lin, ton mou-lin va trop vit', va trop vit', Ton mou - lin, ton mou-lin va trop fort.

MEUNIER, TU DORS

Meunier, tu dors,
Ton moulin, ton moulin
Va trop vite,
Meunier, tu dors,
Ton moulin, ton moulin
Va trop fort,
Ton moulin, ton moulin
Va trop vite,
Ton moulin, ton moulin
Va trop fort, va trop fort.
Ton moulin, ton moulin
Va trop vite, va trop vite,
Ton moulin, ton moulin
Va trop fort.

MALBROUGH

Malbrough s'en va-t-en guerre,
Mironton, tonton, mirontaine,
Malbrough s'en va-t-en guerre,
Ne sait quand reviendra. (bis)

Il reviendra-z-à Pâques,
Mironton, tonton, mirontaine,
Il reviendra-z-à Pâques,
Ou à la Trinité. (bis)

La Trinité se passe,
Mironton, tonton, mirontaine,
La Trinité se passe,
Malbrough ne revient pas. (bis)

Madame à son tour monte,
Mironton, tonton, mirontaine,
Madame à son tour monte,
Si haut qu'elle peut monter. (bis)

Elle aperçoit son page,
Mironton, tonton, mirontaine,
Elle aperçoit son page,
Tout de noir habillé. (bis)

« Beau page, mon beau page,
Mironton, tonton, mirontaine,
Beau page, mon beau page,
Quell' nouvelle apportez ? » (bis)

« Aux nouvelles que j'apporte,
Mironton, tonton, mirontaine,
Aux nouvelles que j'apporte,
Vos beaux yeux vont pleurer. (bis)

Quittez vos habits roses,
Mironton, tonton, mirontaine,
Quittez vos habits roses,
Et vos satins brochés. (bis)

Monsieur Malbrough est mort,
Mironton, tonton, mirontaine,
Monsieur Malbrough est mort,
Est mort et enterré. (bis)

68

J' l'ai vu porter en terre,
Mironton, tonton, mirontaine,
J' l'ai vu porter en terre,
Par quatre-z-officiers. (bis)

L'un portait sa cuirasse,
Mironton, tonton, mirontaine,
L'un portait sa cuirasse,
L'autre son bouclier. (bis)

L'un portait son grand sabre,
Mironton, tonton, mirontaine,
L'un portait son grand sabre,
L'autre ne portait rien. (bis)

On vit voler son âme,
Mironton, tonton, mirontaine,
On vit voler son âme,
A travers des lauriers. (bis)

Chacun mit ventre à terre,
Mironton, tonton, mirontaine,
Chacun mit ventre à terre,
Et puis se releva. (bis)

Pour chanter les victoires,
Mironton, tonton, mirontaine,
Pour chanter les victoires,
Que Malbrough remporta. (bis)

La cérémoni' faite,
Mironton, tonton, mirontaine,
La cérémoni' faite,
Chacun s'en retourna.» (bis)

Jean - ne - ton prend sa fau - cil - le La - ri - ret - te la - ri - ret — te Jean-ne - ton prend sa fau - cil - le Pour al - ler cou - per du jonc.

JEANNETON PREND SA FAUCILLE

Jeanneton prend sa faucille
Larirette, larirette
Jeanneton prend sa faucille
Pour aller couper du jonc.

En chemin elle rencontre
Larirette, larirette
En chemin, elle rencontre
Quatre jeunes et beaux garçons.

Le premier, un peu timide
Larirette, larirette
Le premier, un peu timide
La traite de laideron.

Le deuxième, pas très sage
Larirette, larirette
Le deuxième, pas très sage
Lui caressa le menton.

Le troisième, encore moins sage
Larirette, larirette
Le troisième, encore moins sage
La poussa sur le gazon.

Ce que fit le quatrième
Larirette, larirette
Ce que fit le quatrième
N'est pas dit dans la chanson.

Vous voulez l' savoir Mesdames
Larirette, larirette
Vous voulez l'savoir Mesdames
Faut aller couper du jonc.

V'LÀ L'BON VENT

Derrièr' chez nous y a un étang (bis)
Trois beaux canards s'en vont baignant.

Refrain :
V'là l' bon vent, v'là l' joli vent
V'là l' bon vent, ma mie m'appelle,
V'là l' bon vent, v'là l' joli vent
V'là l' bon vent, ma mie m'attend.

Le fils du Roi s'en va chassant (bis)
Avec son beau fusil d'argent.

Visa le noir, tua le blanc.
– Ô fils du Roi, tu es méchant.

D'avoir tué mon canard blanc !
Par-dessous l'aile il perd son sang.

Par les yeux lui sort des diamants,
Et par le bec l'or et l'argent.

Toutes ses plum's s'en vont au vent,
Trois dam's s'en vont les ramassant.

C'est pour en faire un lit de camp
Pour y coucher tous les passants.

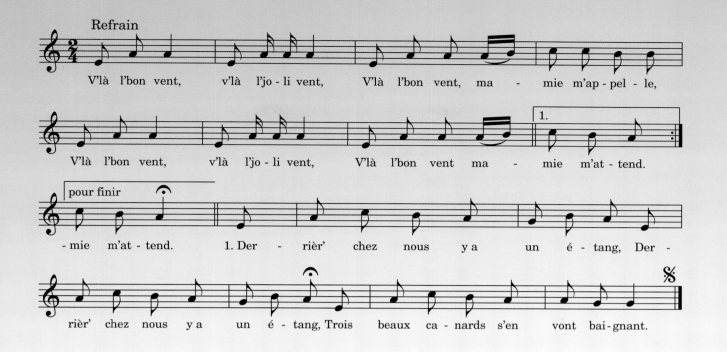

IL ÉTAIT UN PETIT NAVIRE

Il était un petit navire (bis)
Qui n'avait ja-ja-jamais navigué. (bis)
Ohé! Ohé!

Refrain :
Ohé! Ohé! Matelot,
Matelot navigue sur les flots
Ohé! Ohé! Matelot,
Matelot navigue sur les flots

Il partit pour un long voyage, (bis)
Sur la mer Mé-Mé-Méditerranée, (bis)
Ohé! Ohé!

Au bout de cinq à six semaines, (bis)
Les vivres vin-vin-vinrent à manquer, (bis)
Ohé! Ohé!

On tira-z-à la courte paille, (bis)
Pour savoir qui-qui-qui sera mangé, (bis)
Ohé! Ohé!

Le sort tomba sur le plus jeune, (bis)
C'est donc lui qui-qui-qui serait mangé, (bis)
Ohé! Ohé

On cherche alors à quelle sauce, (bis)
Le pauvre enfant-fant-fant sera mangé, (bis)
Ohé! Ohé!

L'un voulait qu'on le mit à frire,
L'autre voulait-lait-lait le fricasser,
Ohé! Ohé!

Pendant qu'ainsi l'on délibère, (bis)
Il monte en haut-haut-haut du grand
hunier, (bis)
Ohé! Ohé!

Il fait au ciel une prière, (bis)
Interrogeant-geant-geant l'immensité, (bis)
Ohé! Ohé!

Mais regardant la mer entière, (bis)
Il vit des flots-flots-flots de tous côtés, (bis)
Ohé! Ohé!

Oh! Sainte Vierge, ma patronne, (bis)
Cria le pau-pau-pauvre infortuné, (bis)
Ohé! Ohé!

Si j'ai péché, vite pardonne, (bis)
Empêche-les de-de-de me manger, (bis)
Ohé! Ohé!

Au même instant, un grand miracle, (bis)
Pour l'enfant fut-fut-fut réalisé, (bis)
Ohé! Ohé!

Des p'tits poissons dans le navire, (bis)
Sautèrent par-par-par et par milliers, (bis)
Ohé! Ohé!

On les prit, on les mit à frire, (bis)
Le jeune mou-mou-mousse fut sauvé, (bis)
Ohé! Ohé!

Si cette histoire vous amuse, (bis)
Nous allons la-la-la recommencer. (bis)
Ohé! Ohé!

BON VOYAGE, M. DUMOLLET

Refrain :
Bon voyage, Monsieur Dumollet,
A Saint-Malo débarquez sans naufrage,
Bon voyage, Monsieur Dumollet,
Et revenez si le pays vous plaît.

Mais si vous allez voir la capitale,
Méfiez-vous des voleurs, des amis,
Des billets doux, des coups, de la cabale,
Des pistolets et des torticolis.

Là, vous verrez, les deux mains dans les poches,
Aller, venir des sages et des fous,
Des gens bien faits, des tordus, des bancroches,
Nul ne sera jambé si bien que vous.

Des polissons vous feront bien des niches,
A votre nez riront bien des valets,
Craignez surtout les barbets, les caniches,
Car ils voudront caresser vos mollets.

L'air de la mer peut vous être contraire,
Pour vos bas bleus, les flots sont un écueil ;
Si ce séjour venait à vous déplaire,
Revenez-nous avec bon pied bon œil.

LA PÊCHE DES MOULES

Refrain :
À la pêche des moules,
Je ne veux plus aller, maman.
À la pêche des moules,
Je ne veux plus aller.

Les garçons de Marennes
Me prendraient mon panier, maman.
Les garçons de Marennes
Me prendraient mon panier.
À la pêche, etc...

Quand un' fois ils vous tiennent,
Sont-ils de bons enfants, maman.
Quand un'fois ils vous tiennent,
Sont-ils de bons enfants ?
À la pêche, etc...

Ils vous font des caresses
Et des p'tits compliments, maman.
Ils vous font des caresses
Et des p'tits compliments.
À la pêche, etc...

À LA VOLETTE

Mon petit oiseau
A pris sa volée. (bis)

A pris sa,
À la volette, (bis)
A pris sa volée.

Il s'est appuyé
Sur un oranger. (bis)

Sur un o,
À la volette, (bis)
Sur un oranger.

La branche a cassé,
L'oiseau a tombé. (bis)

L'oiseau a,
À la volette, (bis)
L'oiseau a tombé.

Mon petit oiseau,
Où t'es-tu blessé ? (bis)

Où t'es-tu,
À la volette, (bis)
Où t'es-tu blessé ?

Je m'suis cassé l'aile,
Et tordu le pied. (bis)

Et tordu,
À la volette, (bis)
Et tordu le pied.

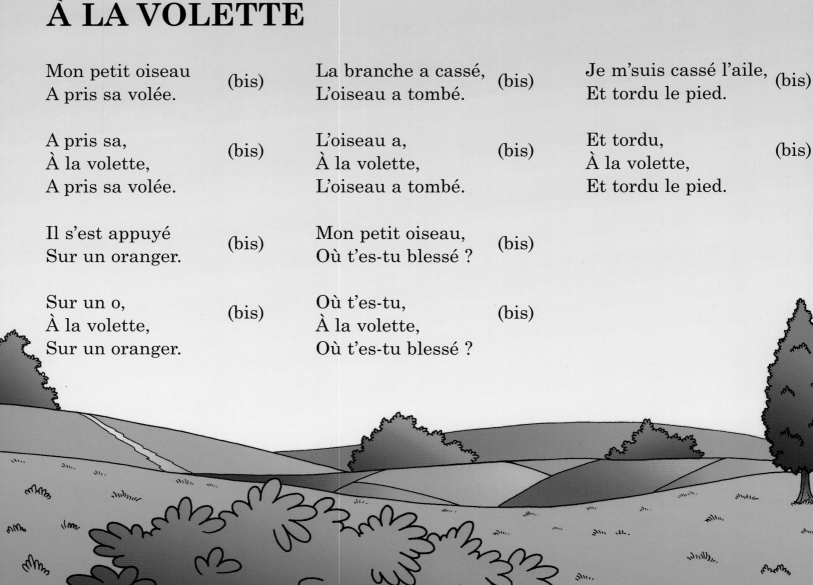

SCIONS DU BOIS

Scions, scions, scions du bois
Pour la mère, pour la mère,
Scions, scions, scions du bois
Pour la mère Nicolas
Qui a cassé ses sabots
En mille morceaux.

PASSE, PASSERA

Passe, passe, passera,
La dernière, la dernière,
Passe, passe, passera,
La dernière restera.
Qu'est-ce qu'elle a donc fait
La p'tite hirondelle ?
Elle nous a volé
Trois p'tits grains de blé.
Nous l'attraperons,
La p'tite hirondelle,
Nous lui donnerons
Trois p'tits coups d'bâton.

BONJOUR, MA COUSINE

- Bonjour, ma cousine.
- Bonjour, mon cousin germain ;
- On m'a dit que vous m'aimiez,
- Est-ce bien la vérité ?

- Je n'm'en soucie guère (bis)
- Passez par ici et moi par là,
- Au r'voir, ma cousine, et puis voilà !

LE PEUREUX

Tout en passant par un p'tit bois (bis)
Tous les coucous chantaient. (bis)
Et dans leur joli chant disaient :
"Coucou, coucou, coucou, coucou."
Et moi je croyais qu'ils disaient :
"Coup'lui le cou." (bis)

Refrain :
Et moi je m'en cours, cours, cours,
Et moi je m'en courais.
Et à la ronde cours, cours, cours,
Et à la ronde courons toujours.

Tout en passant près d'un moulin (bis)
Toutes les meules tournaient. (bis)
Et dans leur joli chant disaient :
" Toc ti, toc tac, toc ti, toc tac."
Et moi je croyais qu'elles disaient :
" Coup'lui tout ras." (bis)

Tout en passant près d'un étang (bis)
Tous les canards chantaient. (bis)
Et dans leur joli chant disaient :
"Couéon, couéan, couéon, couéan."
Et moi je croyais qu'ils disaient :
" Jett'le dedans." (bis)

Tout en passant près d'un p'tit champ (bis)
Tous les oiseaux chantaient. (bis)
Et dans leur joli chant disaient :
" Cui, cui, cui, cui."
Et moi je croyais qu'ils disaient :
" Enfuis-toi vite." (bis)

Der - rièr' chez moi de - vi - nez ce qu'il y a Der - rièr' chez moi de -

vi - nez ce qu'il y a? L'y a un ar - bre, le plus bel ar - bre, Ar - bre du

bois, pe - tit bois der - rièr' chez moi. Et la lon là lon

1.
lère et la lon là lon là

2.
lère et la lon là lon là!

DERRIÈRE CHEZ MOI

Derrière chez moi devinez ce qu'il y a ?
Derrière chez moi devinez ce qu'il y a ?
L'y a un arbre, le plus bel arbre,
Arbre du bois, petit bois derrrièr' chez moi.

Refrain :
Et la lon là lon lère et la lon là lon là
Et la lon là lon lère et la lon là lon là

Et sur cet arbre devinez ce qu'il y a ?
Et sur cet arbre devinez ce qu'il y a ?
L'y a un' branche, la plus belle branche
Branche sur l'arbre, arbre du bois,
Petit bois derrière chez moi.

Et sur cett' branche devinez ce qu'il y a ?
L'y a un' feuille…

Et sur cette feuille…
L'y a un nid…

Et dans ce nid…
L'y a une aile…

Et sur cette aile…
L'y a une plume…

Et sur cette plume…
L'y a un poil (poêle)…

Et dans ce poêle…
L'y a un feu…

Et dans ce feu…
L'y a un arbre…

SUR L'PONT DU NORD

Sur l'pont du Nord un bal y est donné. (bis)
Adèl' demand' à sa mèr' d'y aller (bis)

« Non, non, ma fill', tu n'iras pas danser. » (bis)
Monte à sa chambre et se met à pleurer. (bis)

Son frèr' arriv' dans un bateau doré. (bis)
« Ma sœur, ma sœur, qu'as-tu donc à pleurer ? (bis)

– Maman n' veut pas que j'aille au bal danser. (bis)
– Mets ta rob' blanche et ta ceintur' dorée » (bis)

Le pont s'écroule et les voilà noyés. (bis)
Voilà le sort des enfants obstinés. (bis)

Sur l'pont du Nord, un bal y est don - né. Sur l'pont du
Nord, un bal y est don - né. A - dèl' de - mand' à
sa mèr' d'y al - ler. A - dèl' de - mand' à sa mèr' d'y al - ler.

INDEX